GILL GRUNT
ET LES PIRATES

Cet ouvrage a initialement paru en langue anglaise
chez Sunbird Publishing, du groupe Penguin Books Ltd, en 2013,
sous le titre *Gill Grunt and the Curse of the Fish Master.*
80 Strand, London, WC2R ORL, UK

© Hachette Livre 2013 pour la présente édition
Adapté de l'anglais par Martin Zeller
Conception graphique du roman : Julie Simoens
Colorisation : Sandra Violeau

Hachette Livre, 43, quai de Grenelle, 75015 Paris

GILL GRUNT

ET LES PIRATES

hachette
JEUNESSE

LES **SKYLANDS**

Ces îles qui flottent dans les airs
cachent de nombreux mystères...
La magie est présente partout !
En passant d'un monde à l'autre,
on y découvre des pays très
différents.

Le **PORTAIL MAGIQUE**

Seul un Maître du Portail peut l'ouvrir. Avec ce Portail magique, on se téléporte où on veut en un éclair !

EON

Ce Maître du Portail est un grand sage. Il entraîne les Skylanders, et il a toujours de bons conseils pour les guider.

LES **SKYLANDERS**

Pour protéger les Skylands, Maître Eon a réuni les meilleurs guerriers. Chacun a ses pouvoirs, son élément, et ensemble, ils sont invincibles. Mais attention à l'horrible Kaos... Pour régner sur les Skylands, il a toujours des idées diaboliques !

GILL GRUNT

Il Grunt est un Gillman, et comme tous les Gillmans,
c'est un combattant valeureux et sans peur.
Et quand on attaque ses proches, il voit rouge !

ZAP

Zap a plus d'un éclair dans sa poche :
ce dragon d'eau maîtrise l'électricité, sait se sortir
des pires situations et est très rapide !
Ne le défiez pas à la course, ou vous perdrez !

ÉLÉMENT
EAU

⬡ **WHAM-SHELL**

Ce crustacé effraie l'ennemi d'un seul regard.
Il n'a pas peur de foncer dans la bagarre, et avec
sa massue, mieux vaut éviter d'être sur son chemin..

ÉLÉMENT
MAGIE

✦ **SPYRO**

Pour maîtriser ses pouvoirs, Spyro s'entraîne
souvent ! Ce dragon très courageux peut projeter
de grosses boules de feu pour combattre l'ennemi.

KAOS

Kaos est lui aussi un Maître du Portail, et même s'il n'est pas grand, il est très puissant. Il rêve de battre les Skylanders pour devenir le maître des Skylands. Il faut se méfier de lui !

LES ENNEMIS

GLUMSHANKS

Ce troll un peu maladroit n'est pas toujours très intelligent. Mais c'est le serviteur de Kaos, et il est prêt à tout faire pour lui obéir.

Spyro a combattu des monstres gigantesques qui surgissaient dans les Skylands. C'est Kaos qui faisait grandir toutes ces créatures ! Tout ça pour voler aux Bibliothécaires un livre secret, caché au fond des Archives... Heureusement, les Skylanders ont réussi à l'en empêcher !

Depuis toujours, les pirates des Skylands volent des trésors et terrifient les voyageurs. Pourtant, leur vie n'est vraiment pas facile. Elle est même parfois terrible… Par exemple, ils mangent très mal : le matin, du mouton bouilli, à midi, du mouton bouilli… et le soir ? Encore du mouton bouilli !

Le problème, c'est qu'aucun pirate n'aime cuisiner. Sauf Gut-Rot, le cuistot du *Croc Inquiétant*.

Le *Croc Inquiétant* est le plus inquiétant des vaisseaux pirates. Ses marins sont les plus effrayants des Skylands. Et leur chef, le capitaine Tristebave, est le plus terrifiant de tous... Il n'a pas *une* jambe de bois, il en a deux !

Il n'a pas *une* dent en or, sa bouche en est remplie ! Il n'a pas *un* perroquet sur l'épaule, il en a des dizaines !

Gut-Rot a toujours voulu préparer de bons petits plats au capitaine Tristebave. L'ennui, c'est qu'il ne sait pas cuisiner… Embêtant, pour un cuisinier ! Par exemple, il ne fait pas la différence entre le chocolat et les épinards. Je vous laisse imaginer le résultat !

Un jour, Gut-Rot a décidé de préparer une glace au crabe pour le dessert. Mais il n'avait pas prévu que les ingrédients ne seraient pas d'accord. Les crustacés ont tapé sur les bords de leur tonneau avant d'en sortir, un par un, puis par dizaines.

Au début, Gut-Rot n'a pas fait attention. Mais quand cent petits crabes ont levé leurs pinces vers lui, il a commencé à s'inquiéter. Et lorsqu'ils se sont emparés de ses couteaux de cuisine, il a carrément pris la fuite !

Les marins du *Croc Inquiétant* ont vu leur cuistot sortir de la cale en hurlant de terreur. Ça les a surpris. Puis ils ont vu leur dîner courir après le cuisinier, et ils ont ri. Mais quand Gut-Rot a sauté à l'eau et que tous les crabes l'ont suivi, ils sont restés sans voix.

Le capitaine Tristebave est alors apparu sur le pont, en

portant quatre perroquets sur chaque épaule. Il a regardé l'eau de la mer qui tourbillonnait encore. Puis il s'est tourné vers l'équipage et a dit :

—Quel dommage… Vraiment.

Ensuite, il a souri de toutes ses dents dorées.

— Alors, moussaillons, on s'commande une pizza ?

Loin de là, Gill Grunt se dit qu'il est fier d'être un Skylander. Il est le seul Gillman entraîné par Maître Eon. Il peut voyager partout dans les Skylands, et

surtout, il a plein de copains.

Aujourd'hui, par exemple, ils réparent tous ensemble les Archives Éternelles en partie détruites par Kaos, l'ignoble Maître du Portail. Il aurait tout cassé si Spyro ne l'en avait pas empêché. Ça mérite une chanson !

Comme tous les hommes-poissons, Gill Grunt adore la musique. Malheureusement, il chante comme une casserole. Aucun de ses amis n'ose le lui dire, mais ils

trouvent tous une excuse pour s'éloigner dès qu'il commence à chantonner.

Au moment où Spyro sort de la cave des Archives, Gill Grunt inspire un grand coup…

— Pas maintenant ! l'interrompt le dragon. Suis-moi, Maître Eon va ouvrir le Livre du Pouvoir.

— Le quoi ?

— Le Livre du Pouvoir, celui que Kaos a essayé de voler dans les Archives Éternelles.

Pendant qu'ils marchent, Spyro explique à Gill Grunt qu'il s'agit d'un livre très puissant.

Le conservateur en chef Wiggleworth, un vieux ver à lunettes dans une grande armure métallique, les attend avec Maître Eon et son assistant Hugo.

— Maître Eon veut ouvrir le Livre du Pouvoir… et d'Autres Choses Vraiment Effrayantes, souffle Hugo, l'air terrifié comme toujours.

— Est-ce vraiment nécessaire ? demande Wiggleworth depuis son armure.

— J'en ai peur, mon ami, répond le vieux Maître du Portail. Puisque Kaos voulait ce livre, les Skylanders doivent tout savoir !

Il se tourne vers le grimoire et l'ouvre grâce à sa magie. Le vieux cuir grince, et un dessin apparaît peu à peu sur les pages. Gill Grunt reconnaît le Cœur de Lumière, le monument qui protège les Skylands contre les Ombres. Mais tout à coup, l'image se transforme et montre le Cœur de Lumière détruit...

— Non, c'est impossible ! crie Spyro.

Sur le Livre, le dessin a déjà changé et montre un masque étrange.

— Qu'est-ce que c'est ? demande Gill Grunt.

Le masque est plus horrible que le pire cauchemar qu'on puisse souhaiter à son pire ennemi.

— Il y a des millénaires, le Masque du Pouvoir a été créé par les Spell Punks pour leur roi, explique Eon. Il est fait des huit éléments : Feu, Eau, Terre, Air, Vie, Mort-Vivant, Magie et Tech.

Pendant qu'il parle, les images du Livre se transforment pour illustrer l'histoire.

— Mais quand le roi des Spell Punks l'a porté… poursuit Eon.

Des visions d'enfer couvrent maintenant les pages du Livre. Des villes enflammées, des armées de trolls, des océans déchaînés… L'image se fige sur une grande bataille, et Eon reprend :

— Heureusement, le roi a été vaincu par les Maîtres du Portail. Ils ont alors cassé le Masque en huit morceaux et caché chacun de ces huit éléments dans un objet qui est son exact opposé.

Les Skylanders ne comprennent pas. Hugo leur explique :

— Par exemple, l'élément Mort-Vivant a été caché dans quelque chose de vivant.

— Malheureusement, un fragment du Masque a été découvert, continue Eon : c'est l'élément Tech, qui était dissimulé dans une chose naturelle…

Une magnifique orchidée se dessine sur le Livre.

— La fleur que Kaos portait à son col ! s'écrie Spyro.

— Notre ennemi tente de rassembler les éléments du Masque du Pouvoir. Le Livre du Pouvoir aurait pu l'y aider.

— Nous devons les récupérer avant lui ! s'exclame Gill Grunt.

— Mais comment ? demande Spyro.

— Le prochain fragment est caché ici, répond Maître Eon en désignant une page du Livre.

On y voit une île des Skylands recouverte d'eau étincelante.

L'homme-poisson est inquiet car il reconnaît cet endroit.

— C'est l'île des Eaux Profondes…

— Oui, confirme Eon, et personne ne la connaît mieux que toi, Gill Grunt. Acceptes-tu d'aller y chercher le fragment Eau du Masque du Pouvoir ?

— Bien sûr ! Mais dans quoi est-il caché ?

—Le Livre ne le sait pas, mais…

Maître Eon jette un regard d'excuses au conservateur en chef, puis arrache la page d'un coup sec. Le ver frémit dans son armure.

— ... mais cette page brillera quand elle sera à côté du fragment. Je suis désolé, Wiggleworth, je sais que le Livre doit rester aux Archives, mais Gill Grunt a besoin d'aide.

— Je comprends, mon vieil ami, lui répond le Bibliothécaire. Nous conduirons Gill Grunt sur l'île dans un de nos vaisseaux.

Le Maître du Portail organise le reste de la mission :

— Spyro, tu restes ici. Mais sois prêt à rejoindre Gill Grunt en cas de besoin. Quant à toi...

— À la force de la nageoire, Gill Grunt vaincra ! crie le Gillman.

LE PORT DE LA DERNIÈRE CHANCE

Sur l'île des Eaux Profondes, Gill Grunt arrive au port de la Dernière Chance… Il n'aime pas cet endroit : c'est plein d'algues qui sentent mauvais, et surtout, on y trouve le fameux bateau pirate appelé le *Croc Inquiétant*. Gill Grunt déteste les pirates.

Avant d'être un Skylander, il avait rencontré une très jolie

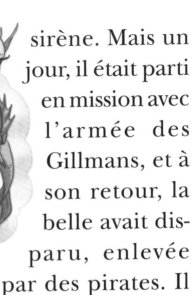

sirène. Mais un jour, il était parti en mission avec l'armée des Gillmans, et à son retour, la belle avait disparu, enlevée par des pirates. Il l'a cherchée partout mais, même avec l'aide de Maître Eon, il n'a jamais réussi à retrouver son amour perdu. Depuis, Gill Grunt déteste *vraiment* les pirates.

L'homme-poisson essaie de penser à autre chose en traversant la foule, mais il bouscule un calamar gluant, qui lève son pistolet. Aussitôt, Gill Grunt braque son arme sur la tête de son adversaire. Mauvaise idée ! Les coéquipiers du calamar l'entourent en ricanant.

— Dix contre un, compte le Gillman avec un sourire. Une bagarre comme je les aime !

Mais, au même moment, *splash !* Un énorme tentacule sort de l'eau et s'écrase sur une taverne du port. D'autres tentacules jaillissent et attrapent tout ce qui passe sur le quai, pirates ou non ! Gill Grunt voit émerger de l'eau deux grands yeux blancs. Puis, une grosse bouche s'ouvre et avale un pirate tout rond.

— Ce n'est pas normal, pense le Skylander en reconnaissant la créature. D'habitude, les krakens font peur, mais ce sont de gentils géants…

Gentille ou pas, la bestiole détruit tout sur son passage, même le bateau des Biblothécaires !

— Arrête ! lui crie Gill Grunt.

Mais l'énorme kraken n'obéit pas… C'est le moment de sortir son canon à eau ! Gill Grunt le pointe sur le monstre. Les yeux de la bête devraient être verts et brillants, pas blancs. Mais le cours

de biologie attendra, parce qu'un tentacule lui entoure déjà la cheville... Impossible de se dégager ! En un éclair, Gill Grunt se trouve suspendu au-dessus de la gueule du monstre... À peine arrivé, le Skylander va être mangé !

Heureusement, un Portail apparaît dans l'air. Deux Skylanders aquatiques, Zap et Wham-Shell, en sortent et demandent :

— Besoin d'aide ?

— Non, non… Tout baigne, répond tranquillement Gill Grunt.

Puis il hurle :

— LIBÉREZ-MOI !

Zap crache un arc électrique sur le kraken. Ses tentacules frémissent et lâchent leur prisonnier.

—Mer… Merci, les a… amis, dit Gill Grunt, secoué par la décharge.

— À ton service ! s'exclame Zap. C'est quoi, cette chose ?

— Des ennuis, répond Wham-Shell. Les krakens n'agissent pas comme ça, normalement.

— Il faut l'arrêter, ajoute Gill Grunt.

Il récupère son canon et lance un long jet d'eau glacée sur la créature… qui ne bouge pas d'un poil. Enfin, si les krakens avaient des poils, bien sûr, celui-ci n'aurait pas bougé d'un poil. Au contraire, il contre-attaque en leur lançant un torrent d'encre.

C'est une technique de défense bien connue des krakens : dans l'eau, leur nuage d'encre les cache, et ils peuvent s'échapper devant un ennemi. Sur terre, c'est aussi efficace… Malheureusement, ce kraken-là ne s'enfuit pas !

L'encre visqueuse recouvre le quai et la tête de Gill Grunt. Beurk ! Le Skylander se frotte les yeux et passe son canon en mode « aspirant ». *Hop !* Il remplit son chargeur avec l'encre qui l'entoure. Puis il repasse en mode « tir » et vise les yeux du kraken. Le bête est prise à son propre piège !

Gill Grunt tire, et le monstre pousse un grognement avant de s'éloigner, aveuglé. Il se dirige droit vers le *Croc Inquiétant* !

Les pirates brandissent leurs couteaux et leurs pistolets, prêts à se défendre. Au même moment, le capitaine Tristebave sort de sa cabine. Il s'avance sur le pont et s'arrête juste devant le kraken.

Tristebave est aussi courageux que cruel, pense Gill Grunt. *Mais il n'a aucune chance, il va couler avec son bateau !*

Pourtant, l'incroyable se produit. Le kraken fou se fige sous le regard du capitaine, comme s'il hésitait à attaquer ! Tristebave montre la mer du doigt… et la bête plonge pour disparaître dans les profondeurs.

Sur le port, les pirates jettent leurs bonnets en l'air en hurlant de joie. Les Skylanders restent bouche bée.

— Le cap'taine est trop fort ! s'exclame un pirate.

— C'est l'meilleur ! confirme un autre.

Mais un vieux matelot reste grincheux.

— C't'endroit est maudit, grogne-t-il. D'abord, les crabes, et maint'nant, ça…

— Tais-toi ! répond un pirate tatoué de la tête à la queue. L'cap'taine n'aime pas les bavards.

Mais Zap a tout entendu.

— Quels crabes ? demande-t-il.

— Ceux qu'ont chassé Gut-Rot, répond le matelot.

— Y avait aussi les bigorneaux qui chantaient, continue un autre.

— Et l'étoile de mer d'hier. Elle a sauté d'mon assiette pour danser sur l'bar… poursuit un troisième.

— Tu peux pas dire qu'c'est normal, Barbu, ajoute un autre.

Les Skylanders écoutent cette étrange conversation. Qu'est-ce que ça veut dire ?

— L'port est maudit, j'te l'dis, conclut le vieux pirate.

— Qu'est-ce que j'entends comme bêtises ?

La voix du capitaine Tristebave gronde derrière les marins.

— Euh… rien, cap'taine… rien…

— Exactement, bande de rognures d'ongles ! confirme le chef. Rien ! Y a pas d'malédiction. Tous à vos postes !

Puis le pirate pose ses yeux cruels sur Gill Grunt et renifle.

— Beurk… Ça sent le poisson, ici…

Mais le Gillman ne fait pas attention à la méchanceté du capitaine ; il regarde la sacoche qu'il porte sur lui. Il y a quelque chose dedans, enveloppé dans un vieux chiffon sale… Tristebave cache vite le sac dans son dos. A-t-il vu le coup d'œil de Grill Grunt ?

— N'écoutez pas ces pipelettes.

La mer est pleine d'mystères…

— Vrai ! D'ailleurs, on d'vrait arrêter d'plonger ! s'exclame un matelot. Même un trésor ne vaut pas…

— Chut ! l'interrompt le pirate Barbu en lui tapant sur la tête.

— Un trésor ? demande Zap. Quel trésor ?

Le capitaine Tristebave sort immédiatement ses couteaux, et tout l'équipage brandit ses armes. C'est bien connu : un trésor, ça doit rester secret ! Gill Grunt tente de les calmer :

— Pas la peine de s'énerver. On n'a rien demandé… D'ailleurs,

on n'a rien entendu du tout…

Les pirates réfléchissent un moment… puis ils se jettent sur les Skylanders ! À l'attaque ! Ils sont à quatre contre un, et tous les coups sont permis. Ils lancent même des poissons pourris ! La massue de Wham-Shell frappe partout à la fois. Gill Grunt arrose ses adversaires avec son canon à eau, pendant que Zap leur lance un éclair. Son électricité est si puissante que les pirates en ressortent tout noirs, les cheveux dressés sur la tête. Vite, les Skylanders s'échappent en plongeant dans la mer.

— Vous me le paierez ! hurle Tristebave.

En sortant la tête de l'eau, un peu plus loin, Gill Grunt voit un Portail apparaître. C'est Spyro !

— Maître Eon m'envoie. Il faut vous dépêcher… Regardez qui arrive !

Le dragon montre du doigt un nuage gris, maléfique et soli-taire… Voilà Kaos !

— Il faut trouver le fragment avant lui, poursuit Spyro.

— On y va ! s'exclame Gill Grunt en faisant signe aux deux autres.

— Où ? demande Zap.

— On va rendre visite à un vieil ami, répond-il en plongeant.

— À plus tard ! les salue Spyro en retournant dans le Portail. Et surtout… attention à ne pas vous faire attraper !

CHAPITRE 3

LE ROYAUME DES SIRÈNES ET DES TRITONS

Gill Grunt adore nager en eaux profondes, et il n'avait pas eu ce bonheur depuis très longtemps. À côté de lui, Zap est rapide comme l'éclair ! Wham-Shell, lui, nage un peu de travers… mais c'est un héros quand même !

Quand ils arrivent à destination, Gill Grunt sourit en voyant

l'air impressionné de Zap. Pour une fois, il ne trouve rien à dire. Il reste bouche bée devant l'immense palais qui se dresse devant eux. Les tours de corail sont si hautes que leur sommet disparaît au loin.

— Qu'est-ce que c'est que cet endroit ? finit par demander Zap, les yeux écarquillés.

— Le Royaume des Sirènes et des Tritons, répond fièrement Gill Grunt. C'est le plus vieux peuple marin des Skylands, et ce sont mes amis. Il n'y a qu'eux qui pourront nous dire où est le fragment !

Les Skylanders s'avancent vers l'entrée, mais Gill Grunt sent qu'il y a un problème. Wham-Shell frappe à la grosse porte en bronze, qui résonne sous les coups.

— Il n'y a personne ? s'étonne Zap.

Gill Grunt réfléchit à voix haute :

— Le royaume est protégé par un bouclier magique. On ne peut même pas passer par-dessus les murailles.

Wham-Shell n'aime pas qu'on lui ferme la porte au nez.

— On va frapper un peu plus fort… annonce-t-il.

Il fait tournoyer sa massue au-dessus de sa tête, de plus en plus vite ! Puis il la jette sur les portes, qui explosent sous le choc.

— Et voilà ! s'exclame-t-il en récupérant sa massue.

— Mais… les gardes du roi Barbe Écailleuse vont nous arrêter, s'inquiète Gill Grunt.

Zap n'a pas peur.

—Je pense qu'on peut y aller, ils n'ont pas l'air très nombreux, tes gardes ! rétorque-t-il.

Les trois Skylanders entrent, mais il n'y a personne derrière les portes. Pas un triton, pas une sirène. Gill Grunt ne comprend pas : des centaines de chevaliers tritons auraient déjà dû accourir pour les empêcher d'entrer ! Où sont les défenseurs du royaume ? Décidément, il y a quelque chose qui cloche…

Les trois Skylanders arrivent en nageant dans le royaume. Il est désert, et tout est en désordre. Au pied du palais, Gill Grunt repère une lumière dans les étages.

—Là-haut, c'est la salle du trône, explique-t-il. Barbe Écailleuse

doit y être, dépêchons-nous d'aller le voir !

Sur son trône, le vieux roi a l'air plus fatigué que jamais, comme s'il n'avait pas dormi depuis des semaines. Ses enfants, le beau prince Aquan et la grande princesse Nagette, ont aussi très mauvaise mine !

—Je ne comprends pas ce qui se passe, déclare Barbe Écailleuse.

—Où sont passés les habitants du royaume ? demande Gill Grunt.

Le prince Aquan répond à la place de son père, car le roi est un peu sourd.

—Personne ne le sait… Tout a commencé il y a trois semaines…

—Ils sont tous partis, continue la princesse. Tous. Les sirènes. Les tritons. Même les enfants…

—Seuls les plus vieux et les plus faibles sont restés, précise le prince.

—Et quand nous avons envoyé des soldats pour les suivre… reprend Nagette.

—… ils ne sont jamais revenus ! achève Aquan.

— C'est comme si leur esprit avait été…

Mais la princesse ne termine pas sa phrase. Ses yeux ont changé

de couleur. Ils sont devenus tout blancs... et ceux du prince Aquan aussi !

—Exactement comme ceux du kraken ! s'exclame Gill Grunt.

Le prince et la princesse sortent de la salle, les yeux dans le vide et

le visage pâle comme de la craie.
Gill Grunt essaie de retenir
Nagette par la nageoire, mais la
princesse ne s'arrête pas.

— Je croyais qu'un bouclier
magique protégeait le royaume ?
fait remarquer Zap.

— Le bouclier empêche les gens d'entrer, répond Gill Grunt. Pas de sortir…

— QUE SE PASSE-T-IL ? hurle le roi sourd d'un air affolé. AQUAN ! NAGETTE !

— Nous allons les retrouver et les ramener, Majesté, promet Gill Grunt en s'avançant.

— VOUS VOUS CUREZ LE NEZ ? s'étonne le triton, qui n'a rien compris.

Gill Grunt ne sait plus comment se faire entendre par le vieux roi. Il lui fait quelques signes en montrant la porte, puis entraîne ses amis vers la sortie.

—Venez, on les suit !

Gill Grunt attrape la queue du dragon aquatique d'une main et la pince de Wham-Shell de l'autre. Zap les entraîne à toute allure sur la piste des enfants du roi.

Ça y est, ils rattrapent les tritons et les sirènes du royaume ! Ils ont tous l'air zombifiés… Gill Grunt secoue un vieux triton à la barbe emmêlée pour le réveiller. Aucune réaction. Wham-Shell intervient :

—Je crois que je sais où ils vont. Regarde !

—Oh, non… grimace Zap, pas des méduses électriques !

Les méduses électriques sont comme des méduses normales, sauf qu'elles font la taille d'un éléphant et qu'elles peuvent émettre des décharges de dix mille volts. Et puis, elles sont aussi très agressives...

Les trois Skylanders décident de fuir quand Zap remarque, paniqué :

—Je croyais qu'on les ramenait au royaume… Mais là, ce sont eux qui nous retiennent !

Oh oh… Le triton barbu s'est accroché à Gill Grunt et l'empêche de partir ! Les trois amis essaient de se libérer, mais il est

trop tard. Le Gillman lève la tête vers le groupe de méduses qui lancent des éclairs et des étincelles en se précipitant vers eux à toute vitesse. Puis il ferme les yeux. Ça va faire mal !

et je l'ai attrapé juste avant qu'il ne serve de quatre-heures à une méduse.

— Regardez ses yeux, dit le Gillman. Ils ont retrouvé leur couleur normale.

Le prince essaie d'articuler :

— C'est la voix… Elle nous a dit… de la suivre…

Puis il se précipite vers les sirènes, paniqué.

— Nagette ! Je dois trouver Nagette ! Je dois…

Le prince ralentit de nouveau et cherche ses mots :

— Je dois… suivre la voix…

Ses yeux redeviennent blancs comme de la craie.

— Voilà ! commente Zap. Il est de nouveau hypnotisé !

— Et on va encore devoir le suivre… bougonne Wham-Shell.

Un peu plus tard, le peuple des mers et les trois Skylanders arrivent devant l'entrée d'une caverne fermée par deux

énormes portes argentées qui s'ouvrent lentement. Les tritons et les sirènes entrent.

— Il faut les suivre ! décide Gill Grunt.

Mais la dernière sirène passe, et les Skylanders se cognent contre les portes qui se referment. Ça alors ! Elles sont faites de milliers de petits poissons argentés !

— Incroyable… murmure le Gillman. Eux aussi, ils ont les yeux tout blancs !

— Ils doivent écouter « la voix » comme Aquan, se moque Wham-Shell.

— Mais oui ! s'écrie Gill Grunt.

On pourrait faire comme pour le prince ! Zap, électrocute les poissons ! Ça va les réveiller et ils nous laisseront passer.

—D'accord, répond le dragon. Reculez-vous : sous l'eau, je maîtrise mal mes éclairs…

Mais *PAF !* Wham-Shell l'assomme avec sa massue ! Ses yeux ont blanchi… Il s'avance vers Gill Grunt et le menace d'une grosse voix :

—Abandonne… Reste à l'écart si tu tiens à tes amis…

Wham-Shell attrape alors Zap, qui s'est évanoui, et entre avec lui dans la caverne.

Gill Grunt ne doit pas le laisser filer ! Sans hésiter, il inverse le mode de son canon à eau et aspire tout ce qui est devant lui : l'eau de mer, les algues, et surtout les petits poissons ! Un trou se forme dans la porte argentée, et il se précipite à l'intérieur.

Le Skylander avance prudemment dans le tunnel sombre et arrive au fond de l'immense caverne. C'est incroyable ! Des centaines de sirènes et de tritons sont là et creusent la roche pour en sortir des anguilles précieuses. Ces longues anguilles sont faites de milliers de petites pierres

précieuses. Lorsqu'on les sort de l'eau, elles disparaissent, et ne restent que les joyaux… Gill Grunt en a beaucoup entendu parler, mais c'est la première fois qu'il en voit. L'homme-poisson remarque aussi une grosse cloche métallique qui relie le fond de l'eau à la surface pour remonter les anguilles. Il faut arrêter ce massacre ! Mais comment faire ?

— Tu vas faire comm'les autres, annonce une voix derrière lui.

Gill Grunt sursaute et se retourne.

— Capitaine Tristebave ! J'aurais dû m'en douter…

Pourquoi tout le monde vous obéit ?

Le pirate fait un grand sourire plein de dents en or et soulève son chapeau. Dessous, il porte une couronne de coquillages scintillants.

— C'est la couronne du Maître des Poissons. Elle m'donne l'pouvoir sur tous les êtres marins…

— Tous ? interroge Gill Grunt, très inquiet.

— Sauf les anguilles précieuses, malheureus'ment…

— C'est pour ça que vous utilisez les sirènes et les tritons…

— Pas seulement eux, Skylander ! Les Gillmans aussi…

— Les Gill… ?

Mais Gill Grunt ne peut pas finir sa phrase. Ses bras se figent. Il n'arrive même plus à penser. Il est ensorcelé !

heureusement, ses yeux ne sont pas blancs.

— Oh non… gémit-il. Ils ont réussi à t'ensorceler !

Mais Gill Grunt ne peut pas parler.

— Tristebave ne peut rien contre moi parce que je ne suis pas né sous l'eau, explique Zap. Mais toi, tu dois résister. Tu es un Skylander !

Gill Grunt essaie de se concentrer, mais la magie de la couronne est trop forte.

— Pense à la mission ! insiste Zap. On doit trouver le fragment avant Kaos !

Gill Grunt réussit un instant à retenir sa pioche… puis recommence à creuser.

— Tu as dit à Maître Eon que tu y arriverais, continue son ami. On compte tous sur toi !

Des images défilent devant les yeux du Skylander : Maître Eon, Spyro, sa sirène emmenée par les pirates, le prince Aquan, Nagette, le triton barbu qui l'a protégé des méduses…

— Je suis Gill Grunt, pense-t-il de toutes ses forces. Je suis un Skylander. Je dois aider ces gens !

Il pousse un grand cri et jette sa pioche.

— Tu dois m'obéir ! hurle Tristebave. Tu dois obéir au Maître des Poissons !

Chaque mouvement de Gill Grunt est une souffrance. Le pirate essaie de reprendre le contrôle avec sa couronne ! Mais ça ne marche plus : certaines sirènes et quelques tritons secouent la tête. Leurs yeux se colorent… puis ils redeviennent blancs. D'autres se libèrent complètement et jettent leurs paniers pleins d'anguilles précieuses.

— Nooon ! rugit le capitaine Tristebave.

Mais sa couronne glisse et tombe. En se retournant pour la ramasser, il marche dessus ! *CRRAAAAAACCCC !* Il écrase les coquillages du Maître des Poissons… D'un coup, le sortilège est rompu, et tous les prisonniers sont libérés !

Le pirate comprend que c'est le moment ou jamais de fuir… Il range les morceaux de sa couronne dans sa sacoche, et tire un levier. La cloche tremble, puis s'élève à toute vitesse en emportant le pirate avec elle.

— Il nous échappe ! crie Aquan.

— Pas d'panique, Votre Royauté, s'amuse Zap. Regardez qui l'accompagne !

Gill Grunt s'est accroché au bord de la cloche, qui l'entraîne vers la surface avec Tristebave.

À la surface, tout l'équipage du *Croc Inquiétant* s'est rassemblé pour tirer sur une corde. Ça transpire, chez les pirates !

— Hissez-moi, bande de rognures d'ongles ! ordonne le capitaine pendant que la cloche sort de l'eau.

— Cap'taine, qu'est-ce qui s'est passé ? demande Barbu.

— Ces saletés de poiscailles se sont rebellées ! Ils vont regretter le jour où ils sont sortis d'leur œuf !

— Tu en es sûr, canaille ? s'écrie Gill Grunt derrière lui.

Il est assis sur la cloche ! Triste-bave est d'abord surpris, puis il

éclate de rire, imité par tout son équipage.

— Tu es seul contre nous tous ! rugit le capitaine des pirates. Je vais te passer au barbecue…

— Seul ? Qui t'a dit que j'étais seul ? lance Gill Grunt avec un sourire.

Au même moment, le navire penche violemment, et les marins sont projetés les uns contre les autres.

— C'est une tempête ! hurle un pirate malgré le ciel bleu.

— Regarde plutôt par-dessus bord, conseille Gill Grunt d'un air malicieux.

Quelques pirates parviennent à ramper vers le ponton.

—Impossible ! crie l'un d'eux.

Tous les êtres marins que le capitaine Tristebave avait ensorcelés sont là et s'accrochent au bateau qu'ils secouent dans tous les sens.

— Levez-vous tous ! ordonne le capitaine à son équipage. À l'attaque !

Zap sort de l'eau au même moment, prêt à lancer une décharge d'électricité.

—Quelqu'un a dit « à l'attaque » ?

Wham-Shell le rejoint en levant sa massue.

Tristebave essaie de faire le fier.

— C'est tout ?

Mais un autre Skylander sort d'un portail au-dessus de lui.

— S'il t'en faut plus, dit Spyro en se précipitant vers le pirate, je suis tout feu, tout flamme !

La bataille s'engage enfin…

CHAPITRE 6

LA BATAILLE POUR LE FRAGMENT

Contre les quatre Skylanders et leurs nouveaux alliés du royaume sous-marin, les pirates n'ont aucune chance ! D'ailleurs, ils abandonnent très vite.

— Les lâches et les enfants d'abord ! crie l'un d'eux en sautant à l'eau.

— En fait, je n'ai jamais voulu être pirate… prétend un autre.

Cette fois, c'est Tristebave qui est tout seul. Il tente de discuter :

— Ne nous énervons pas. Je… je peux changer…

Les Skylanders hésitent un instant. Le capitaine peut-il vraiment devenir gentil ? Mais le pirate a déjà sorti son pistolet et il vise Gill Grunt.

— *Adios,* poiscaille !

Heureusement, les tritons et les sirènes font brusquement basculer le *Croc Inquiétant,* et Tristebave perd l'équilibre… puis tombe par-dessus bord ! Alors, l'énorme kraken jaillit de l'eau en agitant ses tentacules et attrape le

capitaine dans sa gigantesque bouche. Il l'avale d'un coup et replonge dans les profondeurs en grognant, content de son repas.

Tout s'est passé si vite… Les Skylanders n'ont rien pu faire ! Mais Gill Grunt est déjà prêt à repartir. Maître Eon lui a confié une mission : il doit absolument récupérer le fragment du Masque du Pouvoir !

— Il faut qu'on retrouve la couronne. Elle est tellement puissante, et le fragment…

Mais il est interrompu par une voix qu'il connaît par cœur.

— Bien vu, Skylourdaud !

ricane Kaos en surgissant sur son nuage maléfique.

L'ignoble Maître du Portail ramasse une moitié de la couronne du Maître des Poissons qui a glissé sur le pont du navire.

— Merci de m'avoir débarrassé de Tristebave… Glumshanks, donne-moi l'autre moitié !

— La voilà, Maître, répond le troll derrière lui, en sortant le deuxième morceau de cou-ronne de la sacoche du capitaine. Le vilain marin l'a perdue en combattant les Skylanders.

—J'ai le fragment Eau ! se réjouit Kaos. Et vous… Vous êtes MAUDIIITS !

Il envoie un jet de flammes sur le bateau et éclate de rire. Les Skylanders sont pris au piège, son plan diabolique a fonctionné ! Au bout d'un moment, Glumshanks le tire par la manche.

— Maître ?

— Quoi ? Tu ne vois pas que je suis en train de rire ?

— Maître, on coule, dit le troll en montrant l'eau qui leur arrive au genou.

— Ah ? Oui, tu as raison, répond Kaos. Coulez bien, les Skylourdauds !

Puis il claque des doigts et disparaît dans un Portail.

Spyro appelle immédiatement un autre Portail. Les Skylanders remercient Aquan, Nagette et tout le peuple des mers pour leur aide, puis plongent dans l'eau. Gill Grunt se dépêche de ramasser la sacoche vide avant de rejoindre ses amis.

Juste à temps ! Le *Croc Inquiétant* coule complètement, sous les applaudissements des sirènes et des tritons !

Une fois de retour aux Archives, Zap pousse un gros soupir.

— Dire que Kaos a récupéré le fragment Eau…

— … après toutes ces aventures pour arrêter Tristebave ! grogne Wham-Shell.

Maître Eon se lisse la barbe.

— Et toi, Gill Grunt, qu'en penses-tu ?

— Je ne sais pas, répond l'homme-poisson en fouillant la sacoche de Tristebave. Quand on est partis, vous avez dit que les fragments étaient cachés à l'intérieur de choses qui ne leur ressemblaient pas.

— C'est vrai, confirme Eon.

— Au début, j'ai cru que la couronne du Maître des Poissons était le fragment... continue Gill Grunt en sortant un vieux chiffon. Mais Triste-bave l'enveloppait dans ce bout de tissu.

— Et alors ? demande Zap.

— Un vieux chiffon sale, c'est le contraire de l'eau claire, non ?

Il sort de sa poche la feuille du Livre du Pouvoir. Elle se met soudain à briller, et il s'écrie :

— On a le fragment !

— Kaos n'a qu'une vieille couronne toute cassée ! ajoute Zap.

Maître Eon s'approche et prend le chiffon.

— Nous allons mettre ceci en sécurité dans les caves des Archives Éternelles.

— Mais Kaos va continuer à chercher les fragments… remarque Spyro.

— D'ailleurs, comment savait-il où trouver celui-là sans le Livre du Pouvoir ? demande Zap.

— Aucune idée, répond Gill Grunt. Mais quoi qu'il fasse, on sera toujours là pour l'arrêter !

À suivre…

Pour contrer Kaos, Spyro et ses amis ne sont jamais à court d'idées...

AS-TU LU LE PREMIER TOME ?

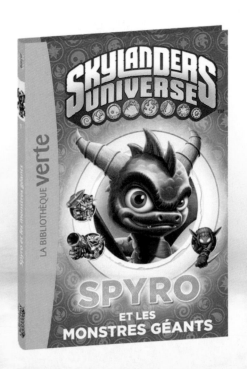

Retrouve tes Skylanders dans la suite de leurs aventures !

LIGHTNING ROD
ET LES CYCLOPES

Lightning Rod doit partir à la recherche du fragment suivant du Masque du Pouvoir ! C'est l'élément Air, forcément caché dans quelque chose de vraiment très lourd... Et si c'était la dernière baleine terrestre, qui vit au zoo des cyclopes ?

TABLE

PAPIER À BASE DE
FIBRES CERTIFIÉES

⊞hachette s'engage pour l'environnement en réduisant l'empreinte carbone de ses livres. Celle de cet exemplaire est de : 300 g éq. CO_2 Rendez-vous sur www.hachette-durable.fr

Photogravure Nord Compo - Villeneuve d'Ascq

Imprimé en Espagne par CAYFOSA
Dépôt légal : septembre 2013
Achevé d'imprimer : octobre 2013
20.3669.7/02 – ISBN 978-2-01-203669-7
Loi n° 49956 du 16 juillet 1949
sur les publications destinées à la jeunesse